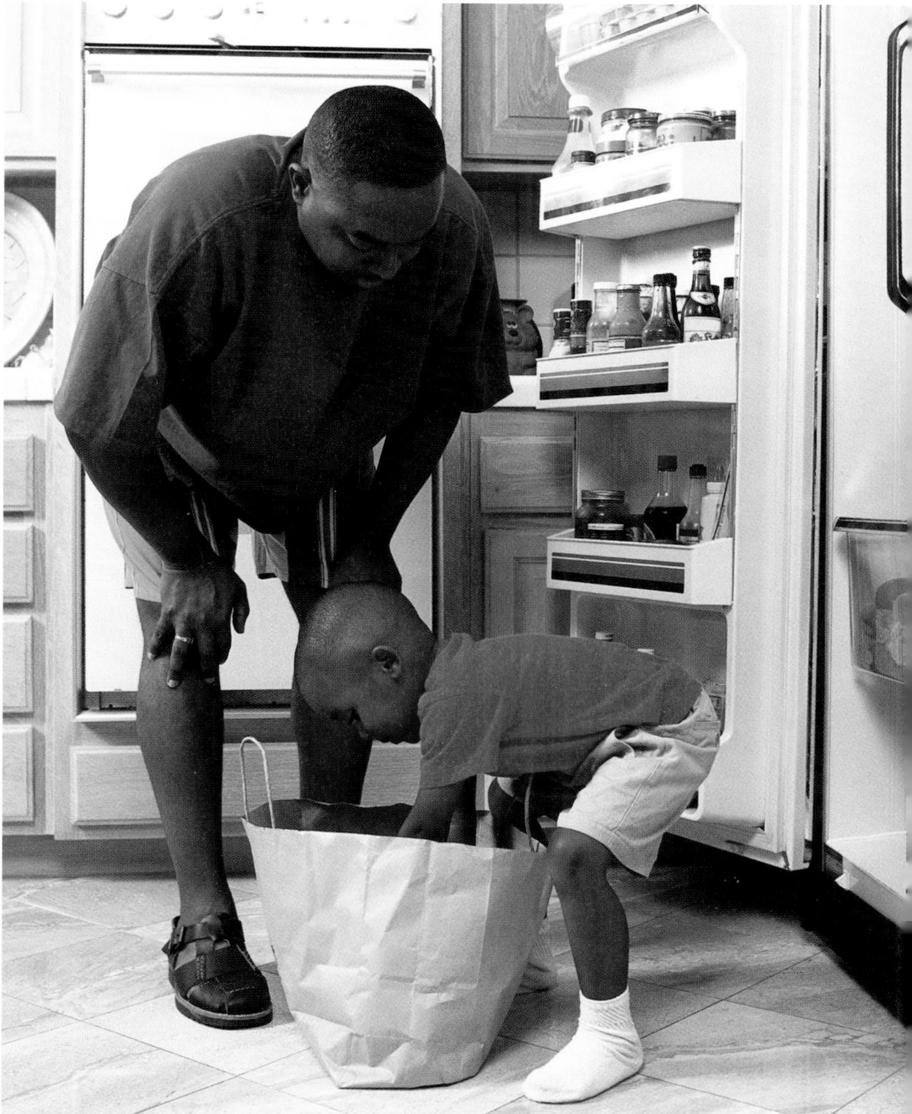

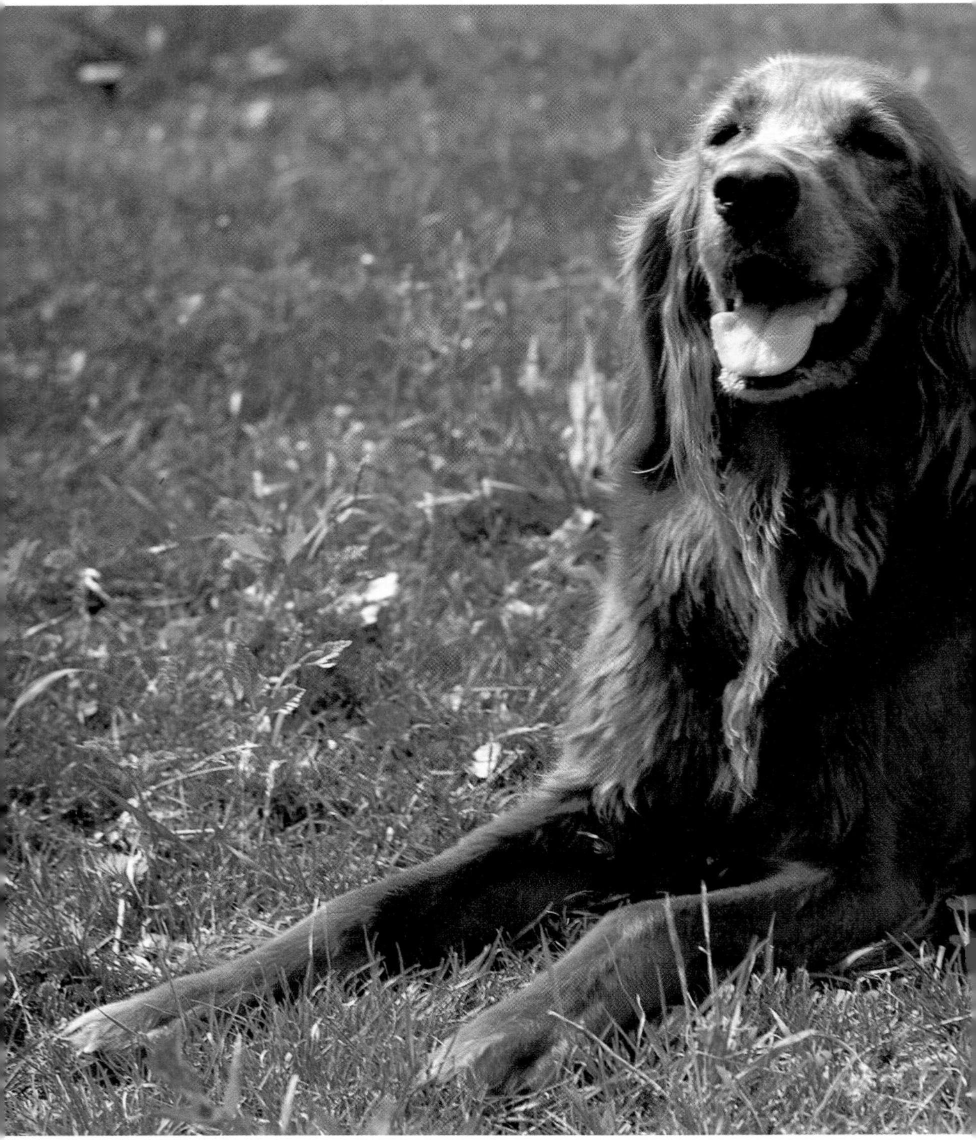

W

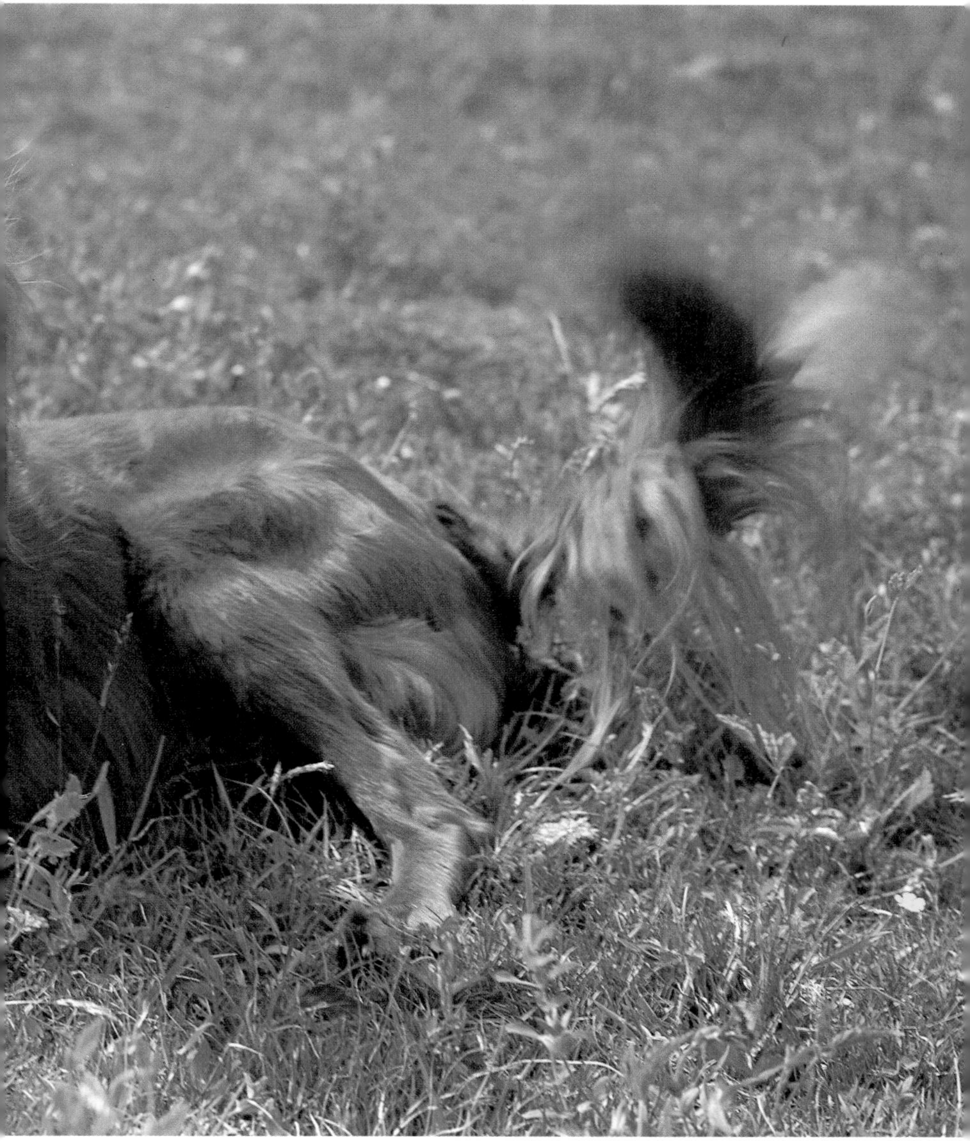

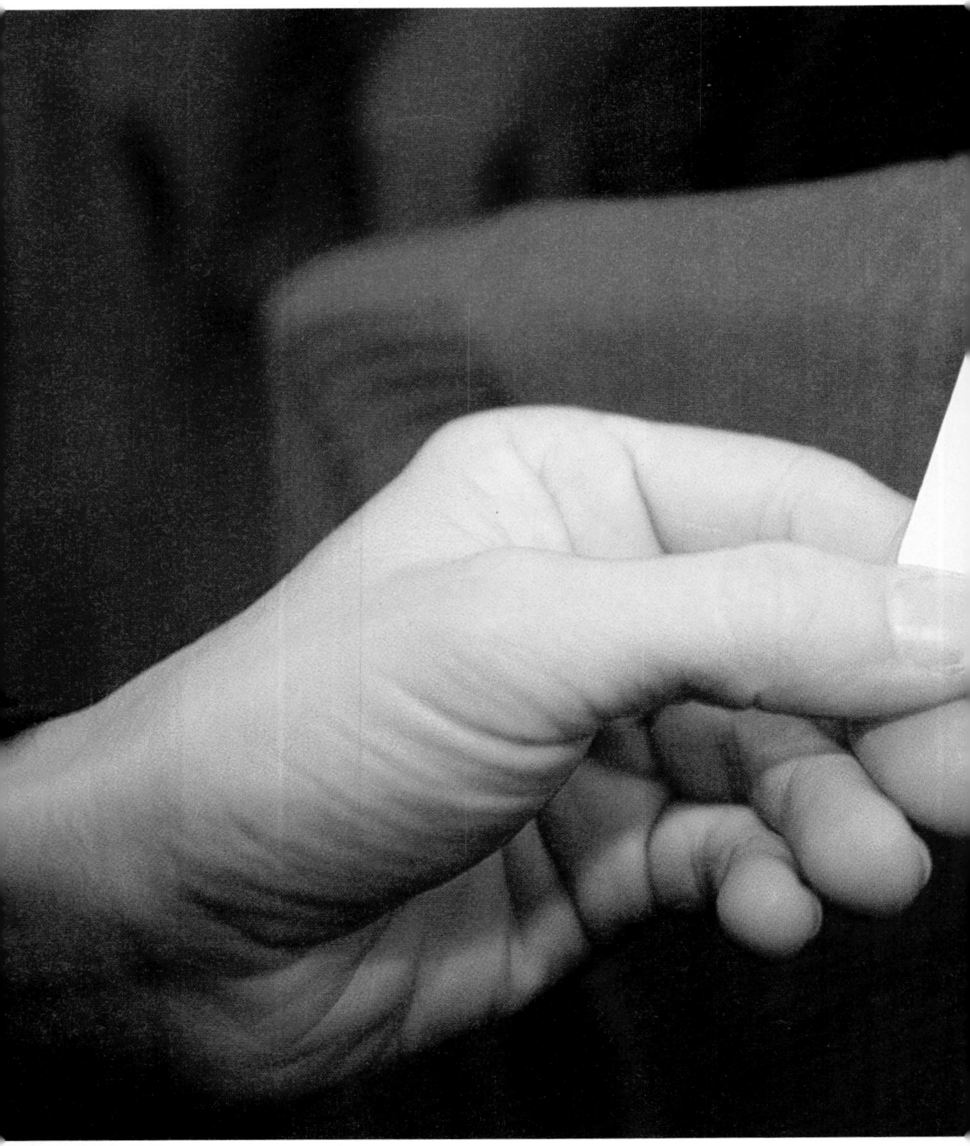

t

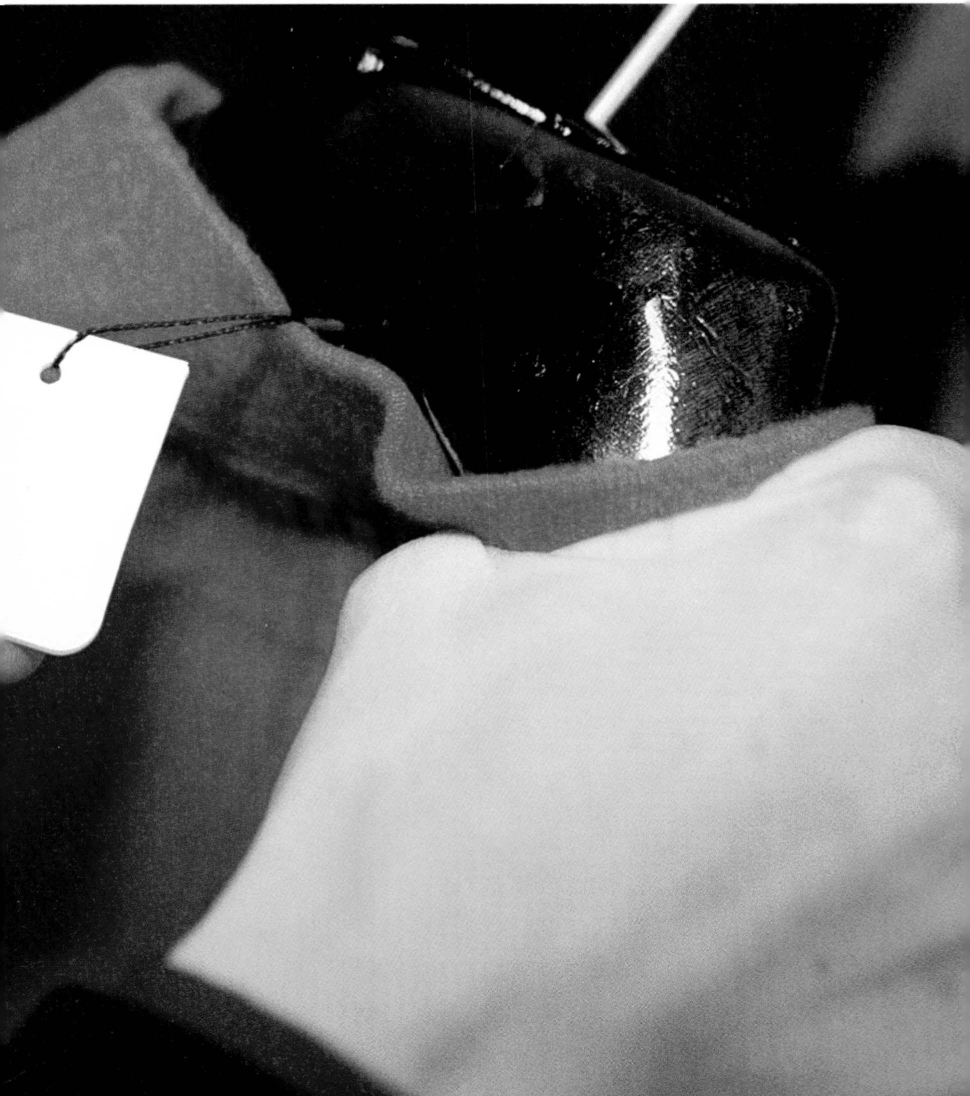

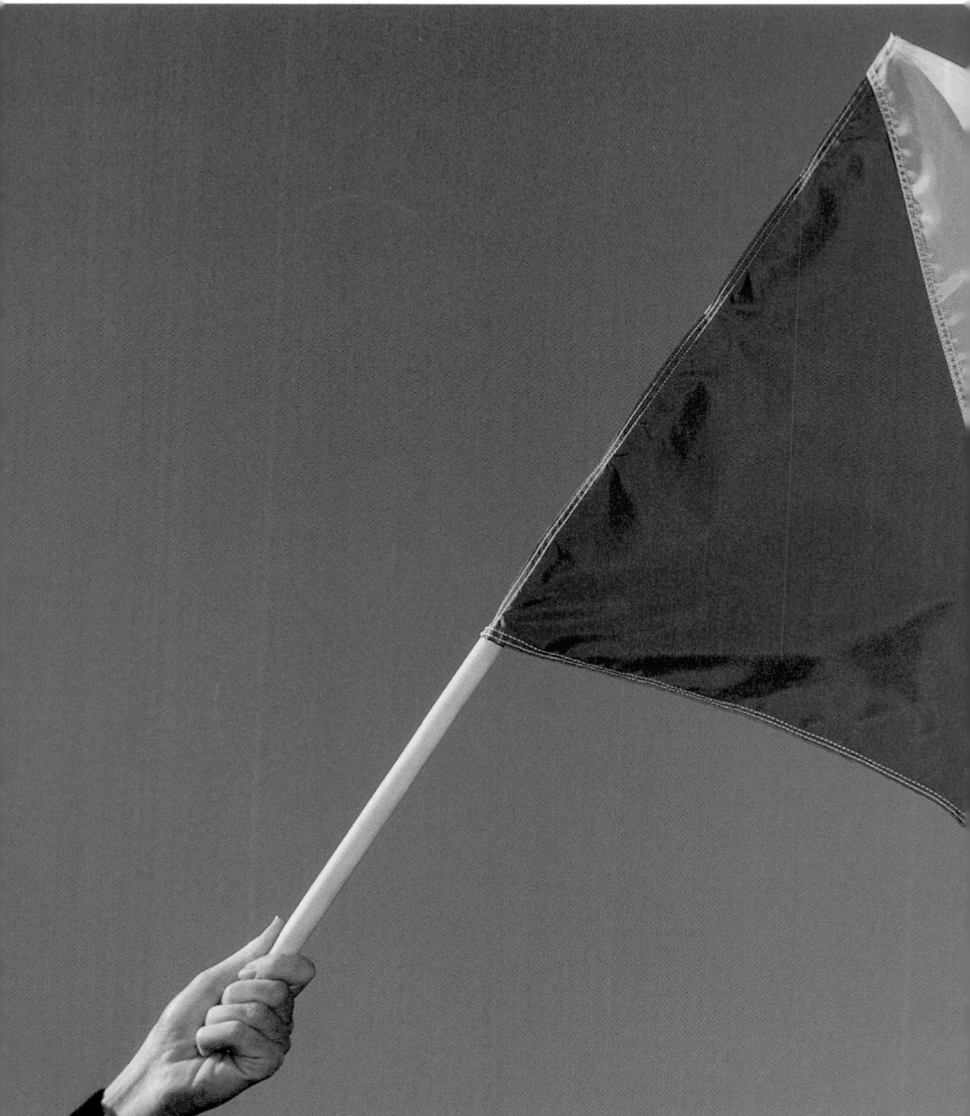

flag

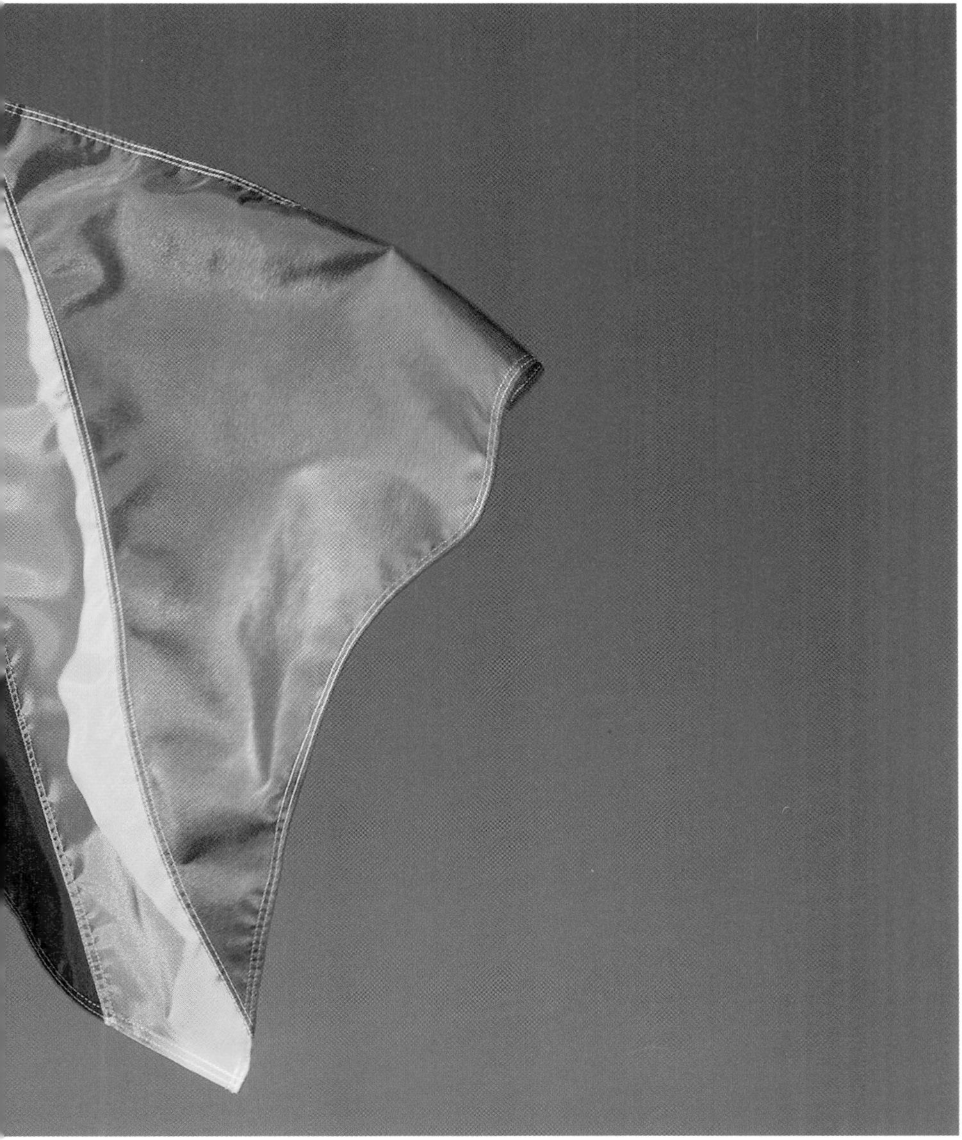

rag

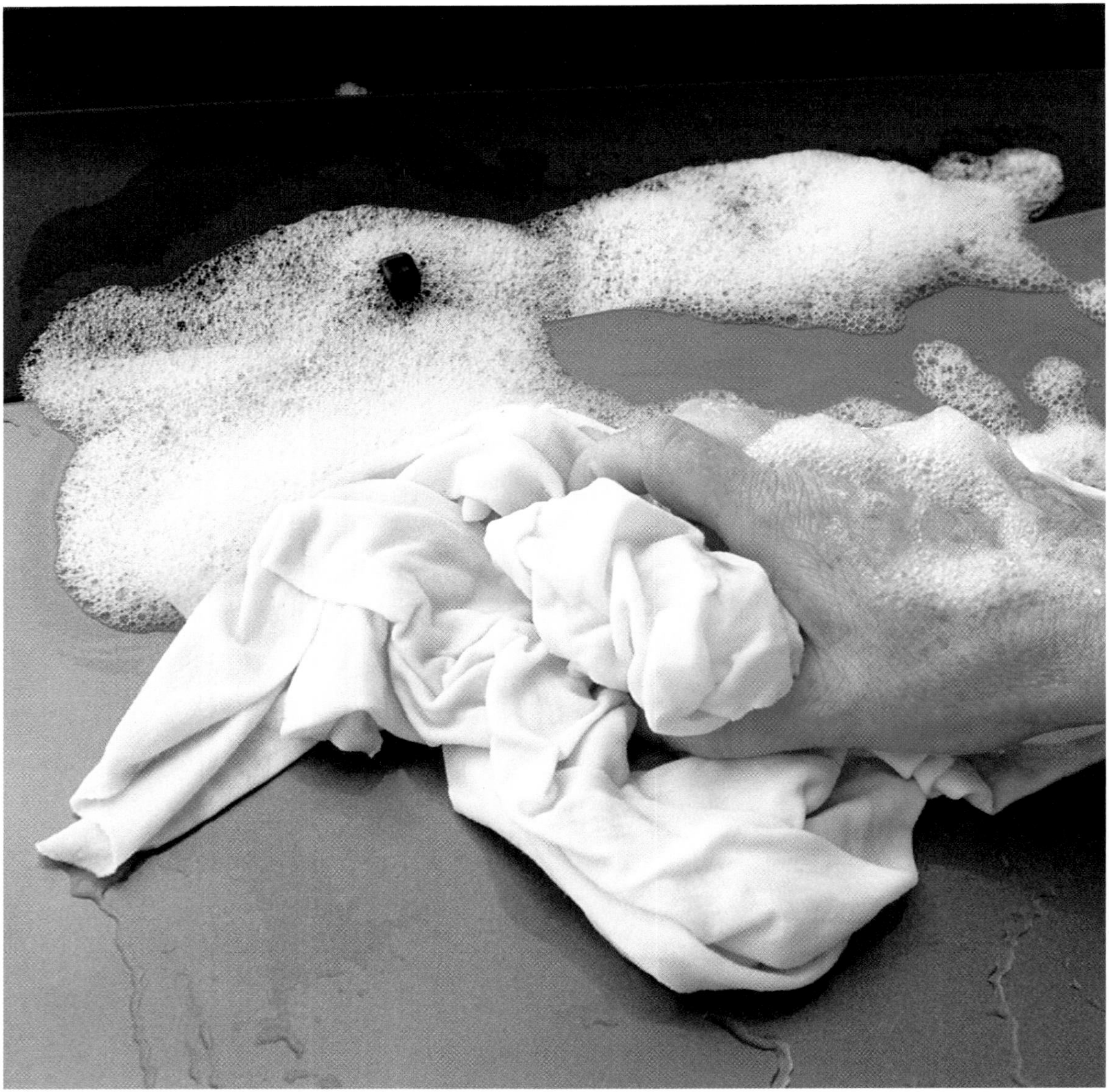